D0296648

Au, dat prikt!

Postbus 80, 9400 AB Assen

Tekst: Joke Wit
Illustraties: Anjo Mutsaars
Vormgeving: Heleen van Keulen
DTP Gerard de Groot
ISBN 90 437 0227 7
NUR 140/282
AVI 4

Au, dat prikt!

Joke Wit

illustraties: Anjo Mutsaars

educatieve

uitgeverij

Maretak

I Op welk dier lijk jij?

'Een juf vroeg in groep vier:
'Wie lijkt er op een dier?'
Ik zelf zwem graag in zee.
Met de dolfijnen mee.

Mijn broer lijkt op een beer.
Hij vangt vis in het meer.
Soms slaapt hij in het bos.
Hij snurkt dan als een os.

En dan is er mijn oom.
Die klimt vaak in een boom.
Mijn tante zegt: 'Mijn Jaap,
die is precies een aap!'

Mijn zus is net een mug.
Ze is heel licht en vlug.
Ze draait maar om me heen.
En prikt dan in mijn been.

Lijk jij ook op een dier?
Een hond, een poes, een mier.

Een leeuw, een vlieg, een bij.
Welk dier is net als jij?'

'Nou?' vraagt juf Pien aan groep vier.
'Op welk dier lijken jullie?'
'Wij lijken niet op een dier!' zegt Loes.
'Wij hebben toch geen poten of een staart?
Een dier is een dier en een mens is een mens.
Dat is heel anders.'
'Is dat zo?
En meester Mark dan?
Die is heel sterk, wel zo sterk als een ...'
'Beer!' roept Jos.
'En als Rambo!' roept Bram.
'Wie is Rambo?' vraagt de juf.
'Dat is onze hond.
Die is heel sterk!
Hij draagt mijn zus op zijn rug.
En dan loopt hij zo de kamer rond.
Soms pakt hij een tak in zijn bek.
Zo'n heel zware.
Die sjouwt hij dan mee.
Hij laat hem echt niet vallen hoor.'
Juf Pien knikt.
'Dus jouw hond is zo sterk als een beer.
En als iemand erg lui is?
Dan is hij zo lui als een ...'

'Varken!' zegt Jos.
'Want een varken is superlui.
Dat ligt de hele dag in de modder.'
'Of als een luiaard', zegt Freek.
'Want een luiaard is het luist.'
'Een luiaard is geen dier', zegt Bram.
'Echt wel', zegt Freek.
'Een luiaard hangt de hele dag aan een tak.
Zo slaapt hij.
En hij beweegt heel langzaam.
Zo langzaam dat je het bijna niet ziet.'
'Soms ben je moe', zegt de juf.
'Dan ben je zo sloom als een ...'
'Slak!' roept Jeroen.

'Goed zo, Jeroen', zegt de juf.
'En als je heel erg honger hebt?'
'Dan heb je honger als een paard', zegt Kim.
'Of als een kameel', zegt Freek.
'Een kameel drinkt het meest!'
'Echt waar?' vraagt Bram.
'Echt waar', zegt Freek.
'Wie noemt nog een dier?' vraagt juf Pien.
'Zeg het maar.
Dan schrijf ik de namen op het bord.'
De kinderen noemen nog wel twintig dieren.
De juf schrijft de namen allemaal op.
Ze zegt:
'Kijk goed naar de namen van de dieren.
Welk dier is het liefst?'
'De poes!' roept Loes.
'Nee, de hond', vindt Bram.
'Niet, de cavia.
Die is het liefst', zegt Jos.
'Een konijn, juf, een konijn!' roept Jeroen.
Hij gaat staan en springt omhoog.
Met zijn vinger in de lucht.
Boink, daar valt zijn stoel.
'Rustig, Jeroen!
Ik hoor je wel', zegt de juf.
'Ga maar gauw zitten.'
Ze kijkt de klas rond.

‘Wie is er wel eens bang voor een dier?’
Bijna de hele klas steekt de vinger op.
Behalve Bram.
Want die is nergens bang voor.
‘Voor welk dier zijn jullie bang?’ vraagt de juf.
‘Voor een slang’, zegt Loes.
‘Die vind ik zo eng!’
‘Ik ben bang voor een weps’, zegt Els.
‘Een wesp, Els.
Jij bent bang voor een wesp.’
‘Een mug vind ik het engst’, zegt Freek.
‘Een mug?
Wat is daar nou eng aan?’ vraagt Jos.
‘Een mug zoemt steeds rond je oor.
Dat is een eng geluid.
En dan wil ik hem slaan.
Maar dat durf ik niet.

Want een mug zit vol bloed.
En dat vind ik vies.'
'Ik snap het', zegt juf Pien.
'Ik hou ook niet van muggen.'
'Waar bent u bang voor, juf?
Voor een leeuw of een beer?' vraagt Loes.
'Ik ben bang voor een spin', zegt de juf.
'Een spin heeft wel acht poten, wist je dat?
Met al die poten loopt hij over je arm of je been.
Brrr ...'
'Ik vind een spin juist leuk', zegt Jos.
'Een spin maakt een web.
Dat is heel knap.
Dat kan niemand.'
'Dus jij lijkt niet op een spin?'
'Ikke niet', zegt Jos.
'Luister', zegt juf Pien.
'Pak allemaal je schrift en je pen.
Schrijf in je schrift op welk dier je het meest lijkt.
Je mag het dier er ook bij tekenen.
Maak er maar een mooi verhaal van.'

2 Jeroen

De kinderen gaan aan het werk.
Freek schrijft:

Ik ben zo sterk als een beer.
Ik til zo mijn broer op.

Hij tekent een grote, bruine beer.
De beer heeft dezelfde bril op als Freek.
Loes schrijft:

Soms leest mama voor.
Dat vind ik gezellig.
Dan spin ik als een poes.

Ik lijk op een slang, vindt Rob.
Ik kruip vaak weg.
Je ziet me niet, maar ik ben er wel.
En dan sluip ik langzaam dichterbij.
Iedereen schrikt zich dan een hoedje.

Rob tekent een lange slang met groene ogen.

Ik wou een giraf zijn, schrijft Jos.
Dan was ik heel groot.
Ik kon dan alles zien.
Maar ik ben klein.
Zo klein als een muis.
Nee, iets groter.

Ik ben een vlinder, bedenkt Kim.
Een vlinder met heel veel kleuren.
Ik vlieg naar de bloemen.
En ik zweef op de wind.

Juf Pien loopt door de klas.
Af en toe staat ze stil.
Ze leest wat de kinderen schrijven.
Ze lacht om de beer van Freek.
Ze wijst naar de giraf van Jos
en steekt haar duim omhoog.
Ze griezelt om de slang van Rob.

Jelle tekent een tijger,
geel met zwarte strepen.
Op de rug van de tijger staat een zeven.

Hier lijk ik op, schrijft Jelle.

'Waarom heeft de tijger een zeven op zijn rug?'
vraagt de juf verbaasd.
'Dat heb ik ook', zegt Jelle.
Juf Pien kijkt naar zijn rug.
'Ik zie geen zeven', zegt ze.
'Nee, die staat op mijn voetbalshirt.
Dat is geel met zwarte strepen.
Ik kan heel goed voetballen en ook hard rennen.
Mijn vader komt altijd kijken.
Soms maak ik een doelpunt.
Mijn vader roept dan: 'Goed zo, tijger!''
'Nu snap ik het', zegt de juf.
'Schrijf het allemaal maar op.'

Alle kinderen zijn druk aan het werk.
Allemaal, behalve Jeroen.

Hij kijkt naar het bord.
Hij tikt met zijn pen op de tafel.
Hij zucht en denkt:
Wat moet ik doen?
Welk dier moet ik tekenen?
Een kikker of een dolfijn?
Of misschien een krokodil?
Hoe moet je een krokodil tekenen?
Heeft hij grote ogen of juist kleine?
Ik weet het niet, ik weet het echt niet.
Ik kan het ook niet.
Kim, die naast hem zit, laat haar vlinder zien.
'Mooi hè?' vraagt ze.
Ze kijkt in het schrift van Jeroen.
'Heb jij niks?
Wat ga je tekenen?
Zal ik je helpen?'
Jeroen schudt zijn hoofd.
Daar komt juf Pien.
Ze kijkt in het schrift van Jeroen.
'Wat is dat nou, Jeroen?
Jij hebt nog niets geschreven.
En ook niets getekend.
Hoe komt dat?' vraagt ze.
Jeroen zegt niets.
'Weet je niet wat je moet doen?
Zo moeilijk is het toch niet?'

Jeroen schudt zijn hoofd.
'Ik kan het niet,' fluistert hij, 'ik heb buikpijn.'
'Ach, wat vervelend is dat.
Wil je een beetje water?'
Jeroen schudt van nee.
'Probeer toch maar iets te tekenen
of te schrijven, Jeroen.
Misschien gaat de buikpijn dan vanzelf over.'
'Maar ik weet niks', zegt Jeroen.
'Natuurlijk wel.
Kijk eens naar het bord.
Op welk dier lijk jij?'
'Ik lijk niet op een dier', zegt Jeroen.
Maar Loes roept: 'Jawel, je lijkt op een leeuw.
Jeroen lijkt op een leeuw, juf!
Hij schreeuwt vaak heel hard.
En dan kijkt hij erg boos.'
'Klopt dat, Jeroen?' vraagt de juf.
'Lijk jij op een leeuw?'
'Echt niet!' zegt Jeroen.
Hij krijgt het er warm van.
'Op welk dier lijk je dan?' vraagt Bram.
'Dat weet je niet, hè?
Je bent te dom.
Zo dom als een ezel, haha.'
'Bram!' waarschuwt de juf.
Jeroen krijgt een kleur.

De tranen prikken achter zijn ogen.
Hij voelt dat hij boos wordt.
'Ik ben niet dom!' roept hij.
Hij kijkt naar de andere kinderen.
Die lachen met Bram mee.
Nu wordt Jeroen echt kwaad.
Hij gooit zijn pen door de klas.
'Jullie zijn zelf domme apen!' schreeuwt hij.
De klas brult van het lachen.
Bram klimt op een stoel en doet een aap na.
Jeroen wordt woest.
Hij staat op en trapt tegen de stoel van Bram.
Bram valt bijna op de grond.
'Jeroen, ga zitten!' zegt juf Pien streng.
'Nee,' brult Jeroen, 'hij moet ophouden!'
Hij wijst naar Bram.
Nu wordt de juf ook boos.
'Naar de gang!' wijst ze.

'Ik wil je voorlopig niet meer zien.
Kom maar terug als je weer normaal doet.
En Bram, ik wil jou ook niet meer horen.
Je houdt je mond en gaat aan het werk.'
Bram zegt al niets meer.
Hij gaat snel verder met tekenen.
Jeroen stampt naar de gang.
Hij is zó kwaad.
Hij knalt de deur keihard dicht.
En hij geeft er nog een harde schop tegenaan.
'Au!'
De andere kinderen schrikken ervan.
Zo boos hebben ze Jeroen nog nooit gezien.

Jeroen gaat in een hoekje van de gang zitten.
Hij wrijft over zijn voet.
Tranen van woede staan in zijn ogen.
Rotklas! denkt hij.
Ze pesten me altijd.
En ik doe helemaal niks.
Juf Pien geeft mij ook altijd de schuld.
En Bram begon, dat zag ze best.
Jeroen staat op.
Ik ga weg, denkt hij.
En ik kom nooit meer terug!
Hij rent door de gang.
En hij rukt de buitendeur open.

Hij loopt met grote stappen naar buiten.
Het plein over, de Bloemstraat in.
Hij loopt maar door.
Zonder op of om te kijken.
Een klein meisje speelt op de stoep.
‘Hoi’, zegt ze vrolijk.
Maar Jeroen hoort het niet.

Hij loopt door.
Waarheen weet hij niet.
Als hij maar weg is.
Weg van die school.
Weg van die kinderen.
Weg van die boze juf!

3 Iedereen is stom

Jeroen loopt alsmaar verder.
Die stomme Bram, denkt hij.
Ik krijg hem nog wel.
Iedereen is stom.
Ik ga nooit meer terug naar die klas.
Dan hoef ik ook geen moeilijke sommen meer
te maken of een verhaal te bedenken.
Ik vind niks aan school!
Je doet er alleen maar stomme dingen!
Een auto rijdt voorbij.
Hij toetert hard naar een meneer op de fiets.
Jeroen schrikt ervan.
Het is of hij opeens wakker wordt.
Hij staat stil en kijkt om zich heen.
Waar ben ik? denkt hij.
Waar ga ik heen?
Naar huis?
Nee, dat kan niet, daar is niemand.
Papa en mama zijn naar hun werk.
Wat nu?
Doorlopen maar, ik zie wel.
Jeroen sjokt verder, de Parklaan in.

Plotseling staat hij bij het park.
Een mevrouw laat net een klein, wit hondje uit.
Het hondje staat stil.
Het doet een plas tegen een boom
en snuffelt eraan.
‘Waf, waf, waf!’ blaft het vrolijk.
‘Goed gedaan, schatje’, zegt de mevrouw.
‘Nu gaan we naar huis, kom dan!’
Ze trekt aan de riem.

Maar het hondje wil niet mee.
Het ziet een kikker, die op het gras springt.
Het wil erachteraan, maar zijn vrouwtje niet.
Ze pakt de hond op en loopt weg.
Jeroen loopt het park in.
Overal liggen bladeren.
Je kunt wel zien dat het herfst is.
In het meertje, midden in het park,
snateren de eenden.

Wat een lawaai, denkt Jeroen.
Het lijkt wel of zij ook boos zijn.
Naast het meer ligt een grote steen.
De steen is warm.
Dat komt van de zon.
Jeroen gaat erop zitten.
Dat is lekker warm!
Hij kijkt naar de hoge bomen in het park.
En naar de eendjes in het water.

Was ik ook maar een eend, denkt Jeroen.
Dan kon ik lekker de hele dag zwemmen.
En dan kwamen er grote mensen en kinderen.
Die voerden me stukjes brood.
En dan kon ik net zo hard snateren als ik wou.
Ja, dat zou leuk zijn.
Nou ja, leuk ...
Altijd zwemmen gaat vast vervelen.
En als je een eend bent, kun je niet voetballen.
Of fietsen of computeren en zo.
Nee, ik wou toch niet dat ik een eend was.
Jeroen plukt een grassprietje.
Er zit een spin op.
De spin kruipt naar het topje van de grasspriet.
Jeroen laat hem over zijn hand lopen.
Dan zet hij hem weer terug in het gras.
Ik wou dat ik een spin was, bedenkt hij dan.
Niet zo'n kleintje, maar een grote.
Met van die harige poten en van die enge ogen.
Ha, dan ging ik stiekem naar school.
Dan kroop ik over de tafels en de stoelen.
Of ik verstopte me achter het bord.
Ja, dat ging ik doen!
Dan ging juf Pien iets op het bord schrijven.
En dan kwam ik opeens tevoorschijn.
Dan kroop ik op de arm van de juf.
En ik kriebelde met al mijn poten over haar arm.

Oei, wat zou ze dan bang zijn!
En de andere kinderen ook.
Ja, dat zou lachen zijn, als ik een spin was.
Of toch niet?
Spinnen zijn snel.
Maar mensen zijn sneller.
Ze zouden me vast vangen.
En misschien wel doodmaken.
Nee, ik wou toch niet dat ik een spin was.

Jeroen staat op en loopt rond het meer.
Af en toe blijft hij staan.
Hij kijkt naar de bomen.
En hij luistert naar de vogels.
Hij schopt tegen een steentje.
En hij springt over een tak.
Het is fijn in het park, fijn en stil.
Langzaam zakt zijn boze bui weg.
Jeroen denkt aan Bram.
Bram maakte natuurlijk weer een grapje,
denkt hij.
Dat doet hij zo vaak.
Maar soms is het niet leuk.
Vooral niet als hij grapjes maakt over mij.
En als iedereen me dan uitlacht,
word ik heel kwaad.
Dat is ook niet leuk.

Maar dan moeten ze me maar niet uitlachen.
Een eindje verderop staat een dikke boom.
Vlak bij de boom ligt een grote hoop bladeren.
Jeroen ziet het.
Hij rent erheen.
En hij schopt de bladeren alle kanten op.
Leuk is dat!
Nóg een keer.
Maar de bladeren zijn nat.
En Jeroen glijdt uit.
Deng, daar ligt hij.
Languit in het gras.
'Au!'
Jeroen gaat snel rechtop zitten.
Heeft iemand het gezien?
Nee, gelukkig niet.
Hij is hier helemaal alleen.
Of toch niet?

4 Een stekelbal

Rts, rts, rts.
Wat is dat?
Rts, rts, rts.
Jeroen kijkt achter zich.
Wat hoort hij toch?
Het geluid komt uit de hoop bladeren.
Er beweegt iets.
Het is bruin en het heeft een klein, spits neusje.
Het is een dier.
Een dier dat met zijn neus kijkt.
Het snuffelt naar alle kanten.
Langzaam komt de rest van het dier tevoorschijn.
Het is bruin en heeft korte waggelpootjes.
Op zijn rug liggen stekels.
Het is een egel!
De egel waggelt over de bladeren
en over het gras.
Hij komt recht op Jeroen af.
Hoe komt die egel hier? denkt Jeroen verbaasd.
Waarom slaapt hij niet?
Egels zijn toch alleen 's nachts wakker?
Dat heeft de juf pas nog verteld.

Jeroen blijft stil zitten.
De egel waggelt dichterbij.
Hij speurt met zijn neus tussen de bladeren.
Op zoek naar kevertjes of wormen.
Jeroen gaat met zijn rug tegen de boom zitten.
Hij kijkt naar de egel.
Die loopt druk heen en weer.
Hap, daar heeft hij een kevertje gevangen.
Hij eet het meteen op.
Smik, smek, smak ...
Jeroen moet erom lachen.
Wat een leuk beest is die egel.
Jeroen is de school helemaal vergeten.
En ook Bram en de andere kinderen.
Hij denkt niet meer aan de juf.
En aan hoe boos ze was.
Hij kijkt alleen nog naar de egel.
Die waggelt gezellig verder over het gras.
'Woef, waf, waf!'
Jeroen schrikt, hij springt op.
Een hond!
Jeroen houdt niet van honden.
Toen hij klein was,
heeft de hond van de buurman hem gebeten.
Dat deed zeer en het was ook heel eng!
Jeroen kijkt bang naar de hond.
De hond rent vrolijk over het gras.

Hij springt over een omgevallen boom
en weer terug.
Hij hapt naar een vlinder.
Hij ruikt aan een blad.
Dan ziet hij Jeroen.
‘Waf!’ blaft hij en hij kwispelt met zijn staart.
De hond gaat voor Jeroen staan.
Met zijn kop een beetje scheef.
‘Woef, waf!’ blaft hij weer.

Alsof hij zeggen wil: 'Zullen we spelen?'
'Ga weg!' roept Jeroen.
Maar de hond gaat niet weg.
Hij pakt een tak in zijn bek.
Die legt hij voor de voeten van Jeroen.
'Waf!'
'Nee, ik wil niet met je spelen.
Schiet op!' roept Jeroen.
Hij wil wegrennen, maar hij durft niet.
De hond springt blaffend heen en weer.
Plotseling ziet hij de egel.
Hij staat stil.
Hij snuffelt en blaft en gromt.
'Grrr, wrraf, wrraf!'
Hij springt om de egel heen.
De haren op zijn rug staan rechtop.
Hij laat zijn tanden zien.
'Grrr, grrr', gromt hij.
'Ksst, ga weg, stom beest, ksst',
doet Jeroen bang.
Maar de hond trekt zich er niets van aan.
Hij hapt naar de egel.
Die zet al zijn stekels op en trekt zijn kop in.
Nu is de egel een bal geworden, een stekelbal.
'Wrraf, grrr', bijt de hond naar de egelbal, *háp!*
'Auwauwauw!'
Jankend rent de hond weg.

Met de staart tussen zijn poten.
‘Haha, net goed’, lacht Jeroen opgelucht.
De stekelbal blijft doodstil liggen.
Jeroen duwt er met zijn voet tegenaan.
‘Hé, egel, kom er maar uit.
De hond is weg’, zegt Jeroen.
Langzaam komt de neus van de egel
tevoorschijn.
Hij snuffelt naar links en naar rechts.
En naar boven en beneden.
Dan floepen zijn kop en zijn pootjes naar buiten.
De stekelbal is weer een egel.
‘Goed gedaan’, prijst Jeroen.
‘Die hond komt nooit meer terug.’
De egel waggelt weg over het gras.
Jeroen kijkt hem na.
Dan gaat hij weer met zijn rug
tegen de boom zitten.

De zon schijnt op zijn gezicht.
De takken van de boom
gaan zachtjes heen en weer.
Zzz, zzz, zzz, alsof ze een slaapliedje zingen.
Jeroen wordt er slaperig van.
Hij wrijft over zijn ogen en gaapt ...

5 Ik durf alles

De egel loopt terug naar Jeroen.
Hij snuffelt aan zijn been.
En hij snuffelt aan zijn hand.
Jeroen wil de egel aaien.
De egel schrikt.
Hij zet zijn stekels op en … prik!
'Au,' roept Jeroen, 'je hebt in mijn hand geprikt!
Kijk nou, het bloedt!'
'Blijf dan ook van me af!' gilt de egel.
'Huh?'
Verbaasd kijkt Jeroen naar de egel.
Dan schudt hij zijn hoofd.
'Nee, dat kan niet, egels praten niet',
zegt hij tegen zichzelf.
'Egels praten wel', zegt de egel beledigd.
Jeroen wrijft over zijn hand en kijkt de egel aan.
'Wie ben je?
Hoe heet je?'
'Ik ben Eppie, Eppie de egel.'
'Eppie?
Neppie zul je bedoelen.
Volgens mij ben je niet echt', zegt Jeroen.

'Niet echt?
Ben je doof of zo?
Ik ben zo echt als maar kan.
Wie dat niet gelooft, die is een dikke eh ... pan.'
'Haha, een dikke pan.
Dat kan helemaal niet', lacht Jeroen.
'Een dikke pannenkoek zul je bedoelen.'
'Pannenkoek?
Die ken ik niet.
Ben jij Pannenkoek?' vraagt de egel.
'Nee, ik ben Jeroen', zegt Jeroen.
'Maar als jij echt kunt praten,
ben ik een meloen.'

De egel kijkt Jeroen aan.
Dan zet hij zijn stekels op en ... prik!
'Au!
Nu prik je me al weer!
Ik geef je een schop hoor.
Ik doe jou toch ook niks?' roept Jeroen.
'Noem dat maar niks', zegt Eppie boos.
'Je gelooft me niet eens!

Je zit me gewoon uit te lachen!'
'Echt niet', zegt Jeroen.
Hij kan het eigenlijk nog steeds niet geloven.
Zit ik hier nu echt met een egel te praten?
vraagt hij zich af.
Voor de zekerheid voelt hij eens aan zijn hoofd.
Hij denkt:
Ik ben daarnet toch niet op mijn hoofd gevallen?
Nee, ik viel op mijn gat, dat voel ik nog.
Maar hoe ...
'Wat doe je hier in het park?'
vraagt de egel nieuwsgierig.
'Waarom zit jij niet op school?'
'Daarom niet', antwoordt Jeroen.
'Ik ben weggelopen.
Ze zaten me allemaal te pesten.
En toen werd ik boos en de juf ook.
En toen moest ik naar de gang.
En toen ging ik weg.'
'Beetje dom', vindt de egel.
'Dom?
Zeg jij nou ook al dat ik dom ben?'
vraagt Jeroen verdrietig.
'Nee, je bént niet dom,
maar je dóét een beetje dom.
Want als je wegloopt, moet je ook weer terug.
Dus het helpt niks.'

‘Poeh, ik ga niet terug.
Nooit meer!’ roept Jeroen.
‘Ik loop nooit weg’, zegt Eppie.
‘Ook niet als je boos bent?’
‘Ook niet als ik boos ben.’
‘En als je bang bent?’
‘Dan helemaal niet, dat zag je toch?
Ik was heus wel bang voor die hond.
Maar ík liep niet weg en de hond wel.’
‘Nou, ik loop ook weg’, zegt Jeroen.
‘Dom’, vindt de egel.
‘Nou zeg je het al weer!
Ik ben niet dom!
Kijk naar jezelf, domme egel!’
Jeroen voelt zich weer kwaad worden.
Hij wil opstaan en wegrennen.
Die egel is al net als iedereen, denkt hij.
‘Wacht nou even’, zegt Eppie.
‘Jij lijkt mij wel.
Als iemand mij plaagt,
zet ik ook meteen mijn stekels op.
En als ik boos ben of bang, dan prik ik.’
‘Ja, lekker makkelijk’, zegt Jeroen.
‘Jij bent een egel.
Jij hebt echte stekels, ik niet!
Ik kan niet prikken.
Ik kan eigenlijk helemaal niks.

Niet tekenen en niet rekenen,
geen verhaal schrijven, helemaal niks.
Ik wou dat ik ook een egel was.'
'Dat kan, kriebel maar onder mijn neus',
zegt Eppie.
'Huh, wat?' vraagt Jeroen verbaasd.

'Kriebel onder mijn neus.
Dan word jij ook een egel.
Ik zal je alles leren wat een egel moet weten.
Ik zal je ook leren prikken.
Als je dat goed kunt, wordt iedereen bang voor je.
Dan durft niemand je meer te plagen.
Wil je dat?'
'Eh ...', begint Jeroen.
'Niet doen, Jeroen, niet doen',
klinkt het opeens boven zijn hoofd.
Jeroen kijkt op.
Wie is dat nou weer?

De dikke boom zwaait zijn takken heen en weer.
Het gat in de stam is plotseling
een mond geworden.
'Niet doen, Jeroen, niet doen',
zegt de boom nog een keer.
'Je moet gewoon Jeroen blijven.
Dat is goed genoeg.
Anders komen er ongelukken van.'
'Bemoei je er niet mee, boom!' roept Eppie.
'Toe Jeroen, schiet op, kriebel onder mijn neus.'
'Eh ... ik weet niet', twijfelt Jeroen.
En hij kijkt omhoog naar de boom.
'Je durft zeker niet', zegt de egel.
'Ik durf best!' roept Jeroen.

‘Nou, doe het dan!’
Jeroen steekt zijn hand uit.
Hij aarzelt.
Dan kriebelt hij de egel
voorzichtig onder zijn neus.
‘Zeg nu heel snel: egelprikdatbenik.’
‘Hahaha!’ lacht Jeroen zenuwachtig.
‘En dan word ik zeker een egel?
Echt niet.’
‘Echt wel’, zegt de egel.
‘Jammer dat je niet durft.’
‘Ik durf best, ik durf alles’,
zegt Jeroen opeens stoer.
Hij kriebelt de egel nog eens onder zijn neus.
En hij zegt: ‘Egelprikdatbenik.
Ha, zie je nou wel, er gebeurt niks!’
roept hij dan.
‘O nee?
Kijk maar eens om je heen’, zegt de egel.
Jeroen kijkt.
Wauw, wat is dat?
De dikke boom is opeens een reuzenboom.
Net als de andere bomen in het park.
Zijn takken zijn armen.
En op de stam staat zijn gezicht.
De boom kijkt ongerust naar Jeroen.
Het gras onder de boom is heel hoog.

Jeroen kan er nog net overheen kijken.
Boem!
Plotseling valt Jeroen naar voren.
Nu staat hij op handen en knieën.
Er zit iets zwaars op zijn rug.
Jeroen voelt eraan met zijn hand.
'Au, stekels!
Wat gebeurt er toch?
Waar ben ik?'

6 Mmm, lekker zeg!

'Je bent hier', zegt Eppie.
'Op dezelfde plek.
Bij de dikke boom op het grasveld.'
'M-m-maar ...', stottert Jeroen.
'Nu ben je een egel, net als ik.
Nou ja, bijna net als ik.
Je bent nog steeds Jeroen, maar een stuk kleiner.
En je hebt stekels op je rug, dat wou je toch?'
'J-ja, m-maar ...'
'Niet zeuren, Jeroen, je hebt gekregen wat je wou.
Kom op, we gaan eten zoeken.
Normaal slaap ik overdag.
Maar jij hebt me wakker gemaakt.
En nu heb ik honger.'
De egel steekt zijn neus in de lucht.
'Snuf, snuf, wat ruik ik?
Een slak?'
Jeroen kijkt.
Onder aan de boom zit een enorme slak.
Een dikke, vette, slijmerige slak.
Hij kruipt langs de stam naar boven.
Jegggh, wat een griezel.

'Daar', wijst Jeroen.
'Ik zie niks', zegt Eppie.
'Mijn ogen zijn niet zo best.'
'Wat erg voor je', vindt Jeroen.
'Maar hoe vind je dan eten?'
'Ik ga gewoon mijn neus achterna.'
De egel waggelt naar de boom.
Hij kruipt een stukje tegen de stam op.
Hap, daar heeft hij de slak te pakken.
Smak, smak.
'Mmm, jum, jum, jum, wat lekker',
smikkelt de egel.
'Wil je ook een stukje, Jeroen?'
'Nee, bedankt zeg.'
Jeroen wrijft over zijn maag.
Hij trekt een vies gezicht.
'Ik moet er niet aan denken.
Zo'n slijmerige slak
krijg ik echt niet door mijn keel.'
'Stel je niet aan.
Een slak is het lekkerste wat er is.
Ik lust er wel soep van, slakkensoep!'
Eppie snuffelt alweer in het rond.
'Kom op, Jeroen, jij ziet beter dan ik.
Mijn buik is nog lang niet vol, help eens zoeken.'
De egel duwt zijn neus over de grond.
Hij snuffelt tussen het gras en de bladeren.

En hij woelt in de aarde.
Jeroen kruipt achter de egel aan.
Ook met zijn neus over de grond.
Een vette worm komt nieuwsgierig naar boven.
'Whááh, een worm!' schrikt Jeroen.
'Wat een dikke, het lijkt wel een slang.'
'Pak hem!' roept Eppie.
'Eet op, je lust toch wel worm?'
'Ikke niet', zegt Jeroen.
Hij doet een paar stappen achteruit.
Eppie komt dichterbij.
Hij snuffelt even en dan ... *hap!*
Hij trekt de worm uit de aarde.
De worm kronkelt rond Eppies neus.

Hij wil los en weer terug in de aarde.
Maar de egel houdt hem stevig vast.
Hij smikkelt hem stukje voor stukje naar binnen.
'Mmm, die worm smaakt heerlijk.

Zo stevig en sappig.'
Smek, smak.
'Neem toch wat, Jeroen.
Worm is gezond hoor!
Je wordt er groot en sterk van.
Neem zoveel je wilt, er zijn er nog veel meer.'
'Hou op!' roept Jeroen.
'Ik lust geen wormen.
En smak niet zo, ik word er misselijk van!'
'Nou zeg, ik eet gewoon hoor',
zegt de egel beledigd.
Hij waggelt weg over het gras.
Met zijn neus in de lucht.
Hij loopt recht op een omgevallen boom af.
Die is vanbinnen helemaal hol.
De egel snuffelt nieuwsgierig aan de boom.
Jeroen gaat op handen en voeten achter hem aan.
'Kijk, Jeroen', zegt Eppie.
'In deze oude boom zitten de lekkerste mieren
en spinnen.
Er zijn ook pissebedden, maar die lust ik niet.
Misschien vind jij ze wel lekker, probeer maar.
Ik begin vast met deze sappige spin!'
Hap, smak, smek, smakkerdesmak, doet de egel.
'Blèèh', doet Jeroen.
Hij knijpt zijn ogen dicht.
'Mieren, spinnen, pissebedden, wat smerig!'

‘Het is verrukkelijk!’ smakt Eppie.
‘Kom op, eet nou wat.
Zonder eten ga je dood.
Neem een paar mieren.
Die lust je vast wel.
Je moet er een paar tegelijk
in je mond steken.
Dat kriebelt lekker.
En dan in één keer doorslikken.
Kijk zo, mmm, heerlijk!’
‘Wat eet jij veel zeg’, roept Jeroen.
‘Heb je nu nog niet genoeg gehad?’
‘Nog lang niet.
Ik moet eten zoveel als ik kan.
Het is herfst en straks begin ik
aan mijn winterslaap.
Dan slaap ik tot het lente wordt.’
‘Zo lang?’ vraagt Jeroen verbaasd.
‘Dat is toch niet normaal?’
‘Voor egels wel’, zegt Eppie.
Hij houdt zijn kopje omhoog.
‘Ssst, stil eens, ik hoor wat.
Daar komt iemand, ik hoor een mens!
Kijk uit, Jeroen!’
Jeroen kijkt.
Maar hij ziet alleen gras en bomen.
‘Ik zie geen mens’, zegt hij.

‘Wacht maar, hij komt zo’, zegt de egel.
‘Ik ruik hem en ik hoor hem.’
Eppie heeft gelijk, daar komt iemand.
Het is een man.
Hij is heel groot, hij lijkt wel een reus.
Eppie kruipt snel in de holle boom.
Jeroen blijft zitten.
Hij ziet twee lange benen.
En twee grote schoenen.
Vlak voor hem staan ze stil.
Wat zal de man doen?
Heeft hij Jeroen gezien?
Jeroen bibbert van angst.

De man kijkt naar beneden.
'Wat heb ik nou aan mijn fiets hangen?'
mompelt hij verbaasd.
Hij bukt zich en kijkt nog eens goed.
'Wat is dat voor een vreemd dier?
Het lijkt wel een egelmens of een stekelkind.
Of is het een prikjoch?
Dat moet ik eens beter bekijken.'
De man wil Jeroen oppakken.
Hij steekt zijn hand uit.
O nee, denkt Jeroen, blijf van me af!
Zo snel hij kan, rolt hij zich op.
Hij wordt een stekelbal.
En hij prikt de man in zijn hand.
'Au!' roept de man.
'Snertbeest, je prikt!'
De man geeft de stekelbal een schop.
Jeroen rolt over het gras.
Een eind verder blijft hij duizelig liggen.
Na een hele tijd roept Eppie:
'Jeroen, kom tevoorschijn.
De man is weg!'
Voorzichtig komt Jeroens hoofd naar buiten.
En daarna zijn handen en zijn benen.
'Is hij echt weg?' vraagt hij bang.
'Tjonge zeg, hij gaf me toch een schop.
Ik ben helemaal duizelig, alles draait.'

‘Kom snel mee, we moeten hier weg.
Midden op het grasveld is het gevaarlijk.’
‘Waarom?’ vraagt Jeroen.
‘De boom zegt het’, antwoordt Eppie.
‘Wat zegt de boom dan?’
‘Luister.’
‘Kijk uit, Eppie en Jeroen, kijk uit.
Er dreigt gevaar.
Er zweeft een buizerd boven het bos’,
klinkt de zware stem van de boom.
‘Een buizerd?
Snel, we moeten ons verstoppen’,
roept Eppie bang.
‘Verstoppen voor een buizerd?
Je bent toch niet bang voor een vogel?’
‘Een buizerd is geen gewone vogel.
Het is een roofvogel en hij is dol op egels.
Maak dat je wegkomt, anders eet hij je op.’
Eppie rent weg, zo snel als hij kan.
Jeroen waggelt achter hem aan.
Maar erg snel is hij niet.
Jeroen is niet gewend
om op handen en voeten te lopen.
Hij wordt er vreselijk moe van.
‘Wacht!’ roept hij.
‘Wacht nou, Eppie, je loopt veel te hard!’
‘Dat moet!’ roept Eppie terug.

'De buizerd komt er aan!
Ik hoor hem al.
Kijk daar, boven ons.'
Jeroen staat stil en kijkt naar de lucht.
Daar zweeft een grote vogel.
Het is een buizerd.
Wat mooi, denkt Jeroen.
Wat heeft hij sterke vleugels.
En wat een gemene kop
en scherpe snavel.
Hij zweeft op de wind.
Steeds lager en lager.
Ik wou dat ik ook kon vliegen.
Dan vloog ik over het park
en mijn school en ...
'Kom nou, sufferd.
Loop door, of wil je opgevreten worden?'
roept Eppie bang.
Jeroen was helemaal vergeten
dat hij nu op een egel lijkt.
Hij rent achter Eppie aan.
Terug naar de holle boomstam.
Als ze er bijna zijn,
ziet Jeroen een schaduw.
Vlak boven zijn hoofd.
'Eèèèè!
Een ééégel!' klinkt het schel.

Het geluid komt steeds dichterbij.
Jeroen wil zijn handen voor zijn oren doen.
Maar dat kan niet, want dan valt hij om.
Hij heeft zijn handen nodig om te rennen.
Heel hard, nog harder, achter Eppie aan!
Plotseling duikt de buizerd naar beneden.
Bam!
Bovenop Eppie de egel.
De buizerd houdt hem stevig in zijn klauwen.
En hij kijkt gemeen om zich heen.
'Ha, daar heb ik je!' krijst hij.
'Ik heb je gevangen en ik vreet je op.'
Met zijn grote, kromme snavel
pikt hij naar Eppie.
Die zet natuurlijk zijn stekels op.
De buizerd trekt zich er niets van aan.
Het lijkt wel of hij de prikken niet voelt.
'Help!' roept Eppie.
'Jeroen, help!'
'Ksst, ga weg!' brult Jeroen naar de buizerd.
De buizerd kijkt verbaasd opzij.
Wat is dat?
Nog een egel?
Wat een goede dag is het vandaag.
Twee egels in één duik.
Dat wordt smullen.
Welke zal hij het eerst opeten?

O, wat moet ik doen? denkt Jeroen.
Ik ben bang!
Die buizerd is zo groot.
Ik moet Eppie helpen.
Maar ik durf niet.
Straks pakt de buizerd mij ook.
En dan eet hij me op.
O, wat moet ik doen?
'Help, Jeroen, help me toch!' roept Eppie.
'Ik kan je niet helpen!
Ik ben veel te klein', huilt Jeroen.
De buizerd kijkt Jeroen
met zijn gemene oogjes aan.

'Èèèè!' krijst hij.
'Jij lijkt me ook wel een lekker ding.
Kom eens wat dichterbij!
Dan neem ik eerst een hapje van jou.'
'Néé, niet doen!
Mamááá!' brult Jeroen.

7 Jeroehoen!

'Jeroen, Jeroehoen!'
Jeroen schrikt.
Wat is dat, wie roept mij?
Waar ben ik? denkt hij in de war.
Hij wrijft zijn ogen uit en kijkt om zich heen.
Alles is anders!
Nee, alles is weer gewoon.
De bomen zijn gewone bomen.
En het gras is kort.
De stekels op zijn rug zijn verdwenen.
En vlak naast hem ligt een kleine egel te slapen.
Het was niet echt, denkt Jeroen opgelucht.
Ik ben in slaap gevallen.
Het was maar een droom.
Hij kijkt naar de lucht.
Daar zweeft een grote vogel boven de bomen.
Het is een buizerd.
Hij krijst: 'Èèèè, èèè!'
Jeroen pakt de egel op.
En hij stopt hem onder zijn jas.
Blijf maar lekker boven, buizerd, denkt hij.
Deze egel krijg je niet.

‘Jeroen, Jeroehoen!’
Daar is het weer, denkt Jeroen.
Iemand roept mij.
Hoe kan dat nou?
Niemand weet toch dat ik hier ben?
‘Jeroehoen, waar zit je nou?’
Het is Kim!
‘Jeroen, kom nou’, roept een andere stem.
Dat is juf Pien! weet Jeroen.
Ze zijn hier vlakbij.
Hoor, ze praten.
Er is nog iemand.
Is dat Bram?
Jeroen kijkt voorzichtig om het hoekje
van de dikke boom.
Ja hoor, daar staan ze.
Juf Pien en Kim en Bram.
Jeroen blijft heel stil achter de boom zitten.
Zijn hart klopt snel.
Hij wordt er warm van.
Als ze me nu maar niet zien, denkt hij.
Als ze nu maar de andere kant op gaan.
Maar de juf, Kim en Bram komen dichterbij.
Ze lopen naar de omgevallen boom.
Ze gaan er met zijn drieën op zitten.
‘Ik snap niet waar Jeroen is’, zegt Bram.
‘We hebben overal gezocht.’

‘Hij heeft zich vast verstopt’, bedenkt Kim.
‘Kom op, Jeroen, kom tevoorschijn!
Niemand lacht je uit.
Echt niet’, roept ze.
Jeroen blijft zitten waar hij zit.
Hij houdt zijn adem in.
De juf mag me niet zien, denkt hij.
Dan wordt ze weer boos.
Ik doe of ik niks hoor.
‘Waar is Jeroen nou toch?’ zegt de juf.
Haar stem beeft.
Het lijkt wel of ze bang is of ongerust.
Toch niet om mij? vraagt Jeroen zich af.
Ach nee, vast niet.
‘Ik maak me zo ongerust’, zegt juf Pien.
‘Het zal toch wel goed met hem zijn?’
‘Straks is er een ongeluk gebeurd’,
bedenkt Bram.

‘Ach nee’, zegt Kim.
‘Jeroen heeft zich gewoon verstopt.
Hij is natuurlijk bang voor straf.’
‘Krijgt hij ook straf, juf?’ vraagt Bram.
‘Dat weet ik nog niet, hoor.
Als we hem eerst maar vinden.
Dat is veel belangrijker.
Kom op, we gaan weer zoeken.
We hebben nog niet
bij die dikke boom gekeken’, wijst juf Pien.

8 Echt wel!

Oei, schrikt Jeroen, ze komen deze kant op.
Ik moet weg!
Hij wil opstaan en wegrennen.
De egel onder zijn jas schrikt ervan.
Hij zet meteen zijn stekels op.
En hij prikt in Jeroens hand.
'Au!' roept Jeroen.
'Ik hoor iets!' zegt de juf.
'Daar, achter die boom.'
Kim holt vooruit.
'Hoera,' roept ze, 'hier is Jeroen!
We hebben hem gevonden!'
Juf Pien en Bram rennen naar haar toe.
'Hé, waar was je nou, man?
We hebben overal gezocht', begint Bram stoer.
Juf Pien lacht.
'Gelukkig, daar ben je, Jeroen.
We waren zo ongerust.'
Jeroen slikt.
Hij weet niet wat hij moet zeggen.
Het lijkt wel of juf Pien echt blij is.
En Kim en Bram ook.

De tranen springen in zijn ogen.
'Wat is er nou?' vraagt Kim.
'Waarom huil je?'
'Mijn hand doet zeer', zegt Jeroen zielig.
'Eppie heeft me geprikt.'
'Eppie, wie is dat?' vraagt Bram.
Jeroen haalt de egel onder zijn jas vandaan.
'Dit is Eppie,' zegt hij, 'hij heeft me geprikt.'

'Laat eens zien?
O, er komt bloed uit.'
De juf pakt Jeroens hand.
'Doet het erg zeer?'
'Valt wel mee', zegt Jeroen.
De juf zegt: 'Ik doe er straks wel een pleister op.
Egels kunnen flink prikken.'
'Ja, en ze eten wormen en slakken.
En ze smakken heel erg.
En in de winter slapen ze', zegt Jeroen.

'Hoe weet je dat allemaal?' vraagt Kim.
'Dat heeft Eppie me zelf verteld.'
'Ja hoor, dat kan helemaal niet', lacht Bram.
'Echt wel!' roept Jeroen.
Hij wil bijna weer boos worden.
'Jeroen heeft gelijk', zegt juf Pien.
'Egels slapen in de winter.
Ik denk dat Jeroen veel van egels weet.
Weet je wat?
We nemen Eppie mee naar school.
En Jeroen mag de klas over Eppie vertellen.
Wil je dat, Jeroen?'
Jeroen knikt.
'Als niemand me uitlacht', zegt hij.
'Beloofd', zeggen Bram en Kim.
'Beloofd', zegt juf Pien.
Ze geeft Jeroen een hand.
'Ga je mee?'
Jeroen knikt.
'Krijg ik ook straf, juf?' vraagt hij zacht.
'Zeker weten', zegt de juf.
'Voor straf mag je nooit meer
zo kwaad worden in de klas.'
Jeroen krijgt een kleur.
'Ik zal het proberen', zegt hij.
'Dan doe ik dat ook', zegt juf Pien.
Jeroen lacht.

'Je moet me nog iets beloven',
zegt de juf.
'Wat dan?'
'Dat je het zegt als je iets niet snapt.
Of als je iets moeilijk vindt.
Dat is niet dom, maar juist slim.
Want dan help ik je.
Daarvoor ben ik jouw juf.
Ik vind het naar als je verdrietig bent.
Of als je boos wordt, omdat iets niet lukt.
Zul je het voortaan zeggen?'
'Oké', zegt Jeroen.

Even later zijn ze bij school.
Ze gaan naar binnen.
'Hoi Jeroen!' roepen alle kinderen.
'Waar was je nou?'
'Ik was in het park.
En ik heb een egel gevonden.'
'Laat maar zien, Jeroen', zegt de juf.
Jeroen zet de egel op zijn hand.
En hij houdt hem een beetje omhoog.
De egel snuffelt naar alle kanten.
'Oòh, wat gaaf, een egel.
En hij blijft zomaar op je hand zitten.
Waar heb je hem gevonden?
Hij is toch niet ziek?

Mag hij op school blijven?
Of moet hij weer terug?'
Ze vragen nog veel meer over de egel.
En Jeroen vertelt.
Over dat egels wormen en slakken eten
en heel erg smakken.
En dat ze de hele winter slapen.
En dat ze een bal worden als ze bang zijn.
Hij vertelt over honden en over buizerds
die egels willen pakken en opeten.
De kinderen vinden het reuze spannend.

Als Jeroen alles heeft verteld, zegt juf Pien:
'Nu gaan we weer aan het werk.
Pak allemaal je rekenboek.
En maak bladzijde vijftien.
Jeroen mag eerst nog een tekening maken.
Weet je nu op welk dier jij lijkt, Jeroen?'
'Ik lijk op een egel', zegt Jeroen.
'Maar ik lijk het meest op mezelf.'
'Zo is het', zegt de juf.
De kinderen gaan aan het werk.
De egel mag nog een poosje op school blijven.
De juf zet hem in een doos op de vensterbank.
Bij de tafel van Jeroen.
'De egel kan hier niet altijd blijven', zegt juf Pien.
'Hij moet weer terug naar het park.

Zullen we hem straks samen wegbrengen?'
'Dat is goed', zegt Jeroen.
Dan maakt hij een mooie tekening van de egel.
Hij schrijft erbij:

De egel is als ik.
Soms doet hij heel hard: prik!
Dan is hij boos of bang.
Maar dat duurt niet zo lang.

Juf Pien leest wat Jeroen schrijft.
'Heel goed', zegt ze.
'Lees maar voor aan de klas.'
Jeroen leest het voor.

‘Goed zeg!’ roept Bram.
En hij klapt in zijn handen.
‘Dat rijmt!’ roept Kim.
‘Het is een gedicht’, zegt Freek.
‘Want een gedicht rijmt ook.’
‘Ik ben trots op je, Jeroen’, zegt juf Pien.
‘Zo trots als een ...’

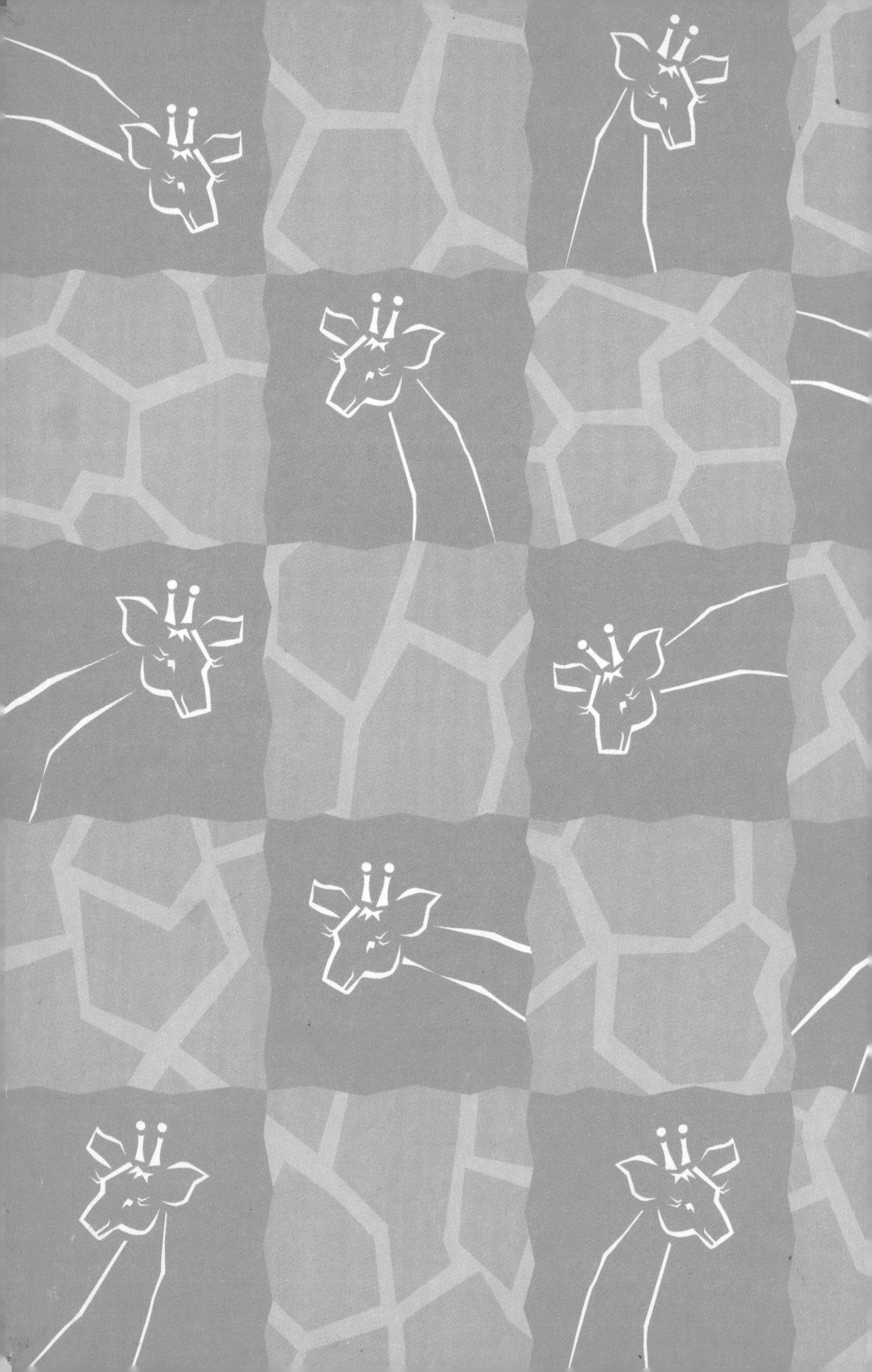